POESIA · DE ESPAÑA Y AMERICA ·
LA ENCINA y EL MAR

N.º 62

[handwritten dedication] Para Miguel Garci Gómez

Este "viaje interminable" que nos hermana,

suyo,

[signature] D. '8G.

Ilustraciones:

Litografías de César Olmos

© EDICIONES CULTURA HISPANICA
DEL
INSTITUTO DE COOPERACION IBEROAMERICANA

AV. DE LOS REYES CATOLICOS, 4. CIUDAD UNIVERSITARIA, MADRID-3

PRINTED IN SPAIN
I.S.B.N. 84-7232 - 309 - 9
D.L. M. 20669 - 1983
TEYPE, S.A.
SAUCE, 30. TORREJON DE ARDOZ, MADRID

LAUREANO ALBÁN

VIAJE INTERMINABLE

PRIMER PREMIO DE CULTURA HISPANICA - 1981

MINISTERIO DE CULTURA
ESPAÑA

EDICIONES CULTURA HISPANICA
DEL
INSTITUTO DE COOPERACION IBEROAMERICANA

MADRID 1983

*A LUIS ROSALES, en España,
y a ISAAC FELIPE AZOFEIFA,
en Costa Rica, maestros ambos
en la poesía y en la amistad.*

«La poesía trascendental es el resultado normal del desarrollo de la poética, es el fin conocido o ignorado, al que ha tenido siempre toda la gran experiencia de la poesía.»

Manifiesto trascendentalista
(Capítulo XII) Lauareano Albán, Julieta Dobles, Ronald Bonilla, Carlos Francisco Monge, Rodrigo Quirós.

De 1978 a 1981, en medio de sucesivos viajes entre América y España, fue surgiendo este libro, como canto y visión del descubrimiento de América, dentro de ese inmemorial viaje mayor, que hoy sabemos interminable, de la aventura humana hacia lo desconocido. Viaje del cual el descubrimiento de América es un hito que le simboliza con toda la intensidad de la gesta y de la tragedia reunidas.

L. ALBÁN
Madrid, 1981.

"Vendrán en los tardos años del mundo
ciertos tiempos en los cuales
el mar océano
aflojará los atamientos de las cosas
y se abrirá una grande tierra,
y un nuevo marinero como aquel que fue
guía de Jasón,
Y que hubo de nombre Tiphys,
descubrirá nuevo mundo.
Y ya no será la isla Thule
la postrera de las tierras."

SENECA

"La mayor cosa después de la
criación del mundo, sacando
la encarnación y muerte de
quien lo crió."

*FRANCISCO
LOPEZ DE GOMARA
(1552)*

INDICE

TEORIA DEL MAR

CANTO PRIMERO

ESPEJO DE LA MEMORIA

CANTO SEGUNDO

INCITACION AL VERTIGO

CANTO TERCERO

FIGURAS SOBRE EL ABISMO

CANTO CUARTO

LAS RAICES DEL TIEMPO

CANTO NOVENO

LA TIERRA INNUMERABLE

CANTO DECIMO

NOTA: Los títulos de los cantos quinto, sexto, séptimo y octavo han sido tomados, como símbolo del canto común de la poesía española e hispanoamericana, de obras de los poetas Juan Ramón Jiménez, Rubén Darío, Pedro Salinas y Pablo Neruda, respectivamente.

TEORIA DEL MAR

canto primero

I

ES LA HORA DEL MAR

*«... allí me detenia en aquella mar fecha
sangre, hirviendo como caldera por gran
fuego.»*

Cristobal Colón
IV Viaje

*El mar es un viaje
de unísonos caballos de ceniza.
Un galope abisal de cascos últimos,
como un metal golpeando interminable
en la zona más ciega del olvido.*

*¿En dónde acaba su sonora ciencia
de tempestad y caracola y bruma?
¿En qué orilla termina
su frío reunido de campana?*

*Atado a los navíos
es un potro enjaezado
por la espuela del ansia,
con la grupa brillante de espejismo
y los lomos oscuros como abismos de pronto.*

Tiene la fuerza de la desmemoria,
la unidad de la sombra,
la pleamar azorada de la estrella,
los empapados ojos del naufragio.

Y luego sólo es mar:
un núbil alborozo
lamiendo en cada mano
su sal innumerable.
Cercado en los recodos
del sonido y la noche,
como un tacto sexual lleno de peces
que subiera a los lechos todo fosforescencia.

Es la hora del mar.
La exacta, móvil hora
del deseo del mar:
la crin ciega del viento,
el cuello erguido y solo
como un hito de estrellas,
las pezuñas ya niebla,
las flecheras pupilas,
y los belfos en donde
la noche se humedece.

Que el mar nace en los cuerpos
deshechos por la luna,
que las piedras deshilan
una humedad callada.
Que por las noches sale
de las casas un fluido compuesto
por memorias y muertes y sueños habitados.

Que el mar es el viaje
permanente del cuerpo,

10

la madera y la luz,
los ojos abismados.
Oro nocturno, oro cruel,
oro sólo distancias.
Una a una las cosas
emprenden el prodigio
de caer a su centro.

Corcel innumerable
cegado por los óxidos terrestres.
De un río a otro corres a beber
apartando la tierra
con tus pezuñas diáfanas.

Trotas por laberintos secretos
donde se gesta el alba,
subes en el deseo
redondo de los pájaros,
y bajas, no ceniza, no afrenta,
a reunir el viaje y su memoria,
el poder y la noche,
la belleza y el tiempo,
la ceniza y el tallo,
en la burbuja incierta
de la más honda,
la más delgada y rápida,
la más gracil y sorda,
la más llena de nombres
transparencia del mundo.

II

LA LLUVIA SUMERGIDA

«*Dicen que fue tanta el agua que salió de
aquella calabaza, que llenó toda la Tierra...
Entonces dicen que tuvo origen el mar.*»

Fray Ramón Pané
(Leyenda de los indios haitianos)

*Lengua plural y ciega,
lamedora de rocas
y de su inmóvil pecho
balsámico de niebla.
Necesitas la lluvia
y su ciudad de prisa,
los límites ardidos de la tierra,
el espejo volátil del relámpago,
el ángulo y su flor determinada.*

*Edificas fronteras
de ceniza invisible,
los mapas indelebles
del temor y del tiempo,
la lenta, lenta cicatriz
de comarcas ahogadas demesuradamente.*

13

Tus ojos amenazan
como cetros nocturnos
que blandieran un cero inexcrutable.

Tus dedos, con la ternura azul de los ahogados,
acarician falaces –sirena innumerable–
la borda de los buques y del ansia.

Como anillo de sonora amenaza.
Como una móvil pátina
de lluvias sumergidas.
–Tú, luz atada
a una incesante diáspora secreta–
Como un muro finito de distancias.

Y el hombre, solo
ante tu amurallada geografía.
Y el hombre, solo
ante el incomprensible esplendor último
de tus veloces ojos no humanos.
Vaticinando nortes
que se esfuman de pronto
y dejan solamente
el árbol de la muerte ante la orilla.

Vestido de solares transparencias
convoca tu relámpago secreto,
la náufraga marea
que espera la deriva,
los ojos nacarados
de moluscos o dioses sumergidos.
Y decide partir.
Quema la casa, el árbol.
Rompe un leal atado de cartas amarillas.
Y decide ser dios en el olvido.

14

III

GEOMETRIA DE ESTRELLA

«Los aires eran muy dulces y sabrosos, que
diz que no faltaba sino oir el ruiseñor, y la
mar llana como un río».

(sábado, 29 de setiembre)
Diario de Colón
Fray Bartolomé de Las Casas

Don de la tierra que se finge estrella,
cuyos rayos volaran, ríos arriba,
por riadas y por deltas,
por rápidos y cauces desprendidos
donde goza la luz entrelazada,
hasta alcanzar el lago
bebido por la savia y sus prodigios,
hasta subir en la cascada al cielo
por los peldaños de la espuma breve,
donde la brisa inventa arquitecturas.

Y luego atesorar brumas y nubes,
labrar, toda ya nieve,
las cúspides voladas,
enlazar a la escarcha los temidos
espejos diminutos del invierno.

15

Para después caer
igual que mano creando,
por un instante confundido al cielo,

igual que lluvia o alba
abriendo la semilla.
Para después caer
como lluvia a lo fértil de su sombra,
como rocío que inclina
el secreto del pétalo
hacia el musgo dormido,
los cofres anegados de la espiga,
el empapado gozo
de las alas del pájaro,
y liberar aromas retenidos
por la tierra y la roca
que la penumbra y su rumor crearon.

Ah geometría de estrella,
mineral por lo ignoto removido,
perfección encendida
por la sed o la lluvia,
no eres de agua, no,
ni de sumisa sal encadenada,
eres el magma con que la belleza
forja su intensidad de flecha ungida,
donde la rosa toma
cuerpo y fugacidad,
en donde el pino estila
su resina aromosa.

De ti surge la estatua
y a ti vuelve sagrada.
Que no es el hombre, no,
quien creó su materia

16

que pulsa y maravilla.
De ti el color sustrae
la vibración del oro inacabado,
el destello estigmado de la plata,
las aureolas que buscan las espigas,
el óxido severo
que sostiene la furia de la espada.

Por ti la arquitectura
de las naves tiene forma de brisa,
curvatura de lago,
convexa indefensión
de mano que se anida.

Y sobre ti han venido los navíos
rodeando los ojos de la muerte,
las lunas y el ultraje,
alrededor del puma del estrago.
Y junto a ti se aprestan
a penetrar al alba,
con la vela y los dedos
humanos de la arcilla.

Y por ti llegarán,
y seguirán sobre tu sombra impura,
por sobre la burbuja
de tu belleza última,
con persistente soledad,
como un péndulo oscilante que uniera
el naufragio y el ala.
Seguirán hacia el rumbo
que la aguja del ansia
señala entre el deseo,
sin agotarse el alba,
de lo siempre invisible.

17

ESPEJO DE LA MEMORIA

canto segundo

I

LA DIASPORA INVISIBLE

> «*Dame un hijo, oh tú, el mejor de los dio-*
> *ses, un hijo dotado de fuerza, con un cuerpo*
> *grande, capaz de romper todos los orgu-*
> *llos.*»
>
> Cantos del origen mítico de los
> pueblos indoeuropeos.
> (El Mahabaharata)

Nacieron de la sed.
Eran arcilla ardiendo
en las casas del tiempo.
Subieron a los montes
a conjuntar la luna con el ansia.
Tenían dioses pequeños:
como abalorios,
como guedejas,
como casualidades.
Plantaron el silencio,
y alrededor
edificaron viajes y campanas.
Conjugaron la tierra con sus nombres
que surgían girando
entre el óxido leal de la palabra.

21

Fueron muriendo a tiempo
para resucitar en la memoria.
Testificaron las estrellas,
el símbolo afilado de los pájaros.

Fueron innumerables y fugaces,
proclives a las ebrias
maravillas del sol.
Fueron desleales
con el pasado,
solitarios ante el presente.
Y dieron al futuro
un perfil de navío o de desdicha.
Poblaron mares interiores,
húmedas sombras apresadas
a las que dieron nombres
de mujer o de dios.
Durmieron en los rumbos
de la oscuridad nacida de la sed,
y acogieron el tiempo entre sus casas
como un habitante o un naufragio.
Cubrieron de memorias
la orfandad de la noche:
ascendieron al norte:
y a su boreal insomnio,
se marcharon al sur
a destinar la arena,
al oeste por niebla,
y al este por el gozo
brillante de las latitudes.

Sus ojos cambiaron
con el olvido o con la luz,
con la muerte pluvial,

22

la siembra o la codicia.
Aprendieron las reglas del prodigio,
las medidas del miedo,
la exactitud del cuerpo y de sus llamas.
Cayeron con un gesto
de semillas fugaces;
fueron quemados, aventados, multiplicados
por olvidos interminables.
Inventaron senderos
donde no había destinos,
y para ello
tuvieron que apoyar en lo invisible las manos.
Edificaron
en la certeza transparente
de la fugacidad.
Solos, como habitando
en el primer espejo
o en la primer memoria.
Señalaron con cantos y con navegaciones
los sitios desoídos de la muerte.

Se hicieron invisibles como años
huyendo a incomprensibles transparencias.
Y escribieron su nombre en las estatuas
con el desdén de la mortalidad.
En los bordes azules de lo incierto
plantaron su puñal y su espejismo.
Cabalgaron hacia la luna
persiguiendo las presas de la muerte.

Y poblaron los círculos
conocidos del sol,
los resquicios quemados
de las huellas del viento,

23

el pan duro y sus casas
de sangre despoblada,
las torres del deseo,
su azul falacidad:
valles, lagos, montañas,
vacíos luminarios.
Y como si cruzaran
hacia un presentimiento
de naves augurales,
se acercaron al mar,
dintel del tiempo,
y el mar, espejo último,
esperaba en la playa.

II

APRENDICES DEL VIENTO

«... donde armé yo tres navíos muy aptos
para semejante fecho.»

Cristóbal Colón

Primero fue el deseo,
su vela imaginaria.
Las leyendas enviadas
desde islas sin regreso,
como fosforescencias prisioneras
en la navegación de las palabras.
Historias sumergidas
en ahogados sin tiempo,
turbados caracoles espejeantes
donde aún se escuchaba
golpear al unísono
secretas lejanías.

Primero fue lo incierto,
las manos invisibles
de la murmuración y de la pena.
Los mapas dibujados
por amarillos náufragos
que tuvieron la suerte,
el prodigio y su lágrima, en los labios.

25

Y la vaticinada geografía.
Y los nombres escritos
en la lengua del frío.
Y embarcaciones
de papel y leyenda
que las memorias iban
lanzando a la deriva.

Esto tuvo lugar un día único:
de abril el viento,
de noviembre su diáfano equilibrio,
y de agosto el claror de los senderos.

Entonces las hazuelas estallantes,
las sierras, la medida,
el martillo y su rumbo acompasado,
reunieron destinos de madera,
la savia torturada del anhelo:
un puntal de quietud allá,
y el vértice que afirma
la curvatura maga del azar.

Las jarcias que sostienen
la pasión de sus alas,
y la quilla que aprende
su vocación de niebla,
y la borda de abismos,
y el timón enfilado
por la sed y el destino.

Primero las leyendas
y su alta geografía
aprendida del viento,
subieron invisibles al navío.
Después el tiempo henchido que nacía.

*Luego los hombres
por el azul curtidos:
marineros delgados
como alucinaciones,
u oscuros como torres de vigía,
capitanes del riesgo,
capitanes de nombre combatido.*

*Cada uno a su talla campanaria,
al espeso deber de los prodigios,
a la precisa luz correspondida.
Cada uno a su mando numerario
que aún navega en el tiempo
con la vela solar y alta del día.*

III

LOS PUEBLOS ALBORALES

«A mí, expulsado de mi patria, errando por
los mares más remotos, la omnipotente
Fortuna y el hado ineluctable me situaron
en estos lugares a donde fui conducido...»

La Eneida
Virgilio

Llegaron desde todo lo destruido:
Fenicios de piel húmeda
como el relámpago de sal
de un cielo sumergido.
Mesopotámicos de voz de arcilla.
Espléndidos cretenses
de lanzas espejeantes como ríos.
Persas innumerables
sumando tempestades.
Egipcios liberados
del sueño del ladrillo.
Griegos como vertientes augurales.
Arabes trashumantes
de móviles destinos de ceniza.
Romanos angulares como el hierro.
Iberos de aceituna conmovida.
Eslavos de metal y vastedades.

29

Cartagineses por la guerra ungidos.
Galos irreductibles. Judios unitarios.
Bretones hiperbóreos, transparentes.
Germanos decididos al relámpago.
Negros de profecías vegetales.
Y nórdicos, obreros de la nieve.
Y celtas inventando lejanías.
Sombras del mismo viaje,
nombres del mismo polvo,
gesta del mismo sueño.

Llegaron ante el mar,
y con la leve brisa
de sus ojos destruidos,
con las manos traslúcidas
de cruzar por la muerte,
y los pies como estelas
de cristal reunido:
impulsaron las naves,
hincharon los velámenes,
removieron las anclas,
extasiaron el mástil,
dirimieron el tiempo,
liberaron las olas
destinadas al hombre,
dieron fuga y certeza
al timón y a la brújula,
dibujaron sus mapas
en los ojos marinos.
Y miraron perderse
hacia la transparencia
las indefensas naves.

30

Y después se marcharon
a vigilar sus dioses
Cada uno a su pozo
de acosadas memorias,
esperando en los ojos
constelados del alba.

INCITACION AL VERTIGO

canto tercero

I

ESPEJISMOS DEL TIEMPO

*«Vine a la orilla de Palos, que es puerto de
mar ...»*

Cristóbal Colón

*La noche anterior fue
como una plaza
donde corría el viento
y el viento no existía.*

*Por los ojos cruzaban las estelas
con un rumor de peces traspasados.
Nacía un río de anclas destinadas
de la costa, los pueblos,
los rostros del estío.*

*Todos sabían la hora.
Nadie sabía el prodigio.*

Las antorchas atadas
sobre el presentimiento,
chispas junto al deseo,
estopa del olvido,
cegadas desaparecían
al acercarse el alba.

En la tarde anterior
naufragó la distancia.
Las burbujas subieron
al espontáneo aire, iluminando,
con sus mínimos estallidos
de sal diáfana, el ocaso ya sombra.

Alguien desconocido,
transparente, imposible,
clavó banderas últimas
en las nubes, las plazas,
la inclinación llameante de los pájaros,
las puertas y las calles,
las piedras y el cristal del horizonte.

El día anterior fue rápido,
inexistente acaso,
nadie sabe siquiera
si ejecutó su oficio
de nacer y subir
y ceder como llama.

Se rumoraba, indefinidamente,
una confidencial historia
de espejismos y dioses
y serpientes de escarcha condenada,
que al final del abismo .
bebían y sufrían
con una sed sin término.

36

La hora previa fue
como una brasa única,
que caía a su sombra,
con lentitud quemada
en la marea del ansia.

Todo estaba dispuesto:
el temor y el paisaje,
la ceniza heredada
como una tempestad,
el mar, su piel unísona
de bosques sumergidos,
la precisión del tiempo
conjugando las cosas,
el cálculo falaz
de las constelaciones;
contenido el delirio,
los caballos oceánicos
prestos en lo invisible.

Y unos hombres de arcilla
indefensa en la playa,
y sus mujeres solas
avistando el invierno,
y las casas selladas
por un mandato azul.

II

NAVEGACION PRIMERA

*«... y partí de dicho puerto muy abastecido
de muy muchos mantenimientos y de mu-
cha gente de la mar, a 3 días del mes de
agosto de dicho año, en un viernes, antes de
la salida del sol...»*

Cristóbal Colón

*Y partieron, no sólo
desde aquella mañana
y desde aquella tierra,
sino desde una diáspora
más lejana y oscura:
la del tiempo y el hombre
confabulados en alucinaciones.
Desde los ojos ábregos
de sus antepasados
y su blanca tarea transitoria.
Desde el hombre auroral y su madera
de resinas viajantes.
Desde puertos antiguos
que ya se habían deshecho
entre la sal del mar y su memoria
–también fueron preseas del silencio–.
Desde la sumergida arquitectura
que el coral interroga,
de ahogados laberintos de ceniza.*

Desde el borde oxidado
de pergaminos que asumió la llama,
y de rostros que fuéronse borrando
uno tras otro. Puede aún la memoria
presentirlos mirando en las estatuas.

Y partieron hacia un deseo alboral
de geografías,
con la proa del viento
abierta en la mirada.
Desde la alta herencia
de velámenes hechos
por abuelos o sombras.
Desde la orilla alucinada y sola
del mapa del pasado junto al mar,
donde la húmeda roca aún recuerda
ahogados paraísos
que la divinizaron.

Este fue su prodigio,
que todo viajó al riesgo entre sus ojos:
los pueblos ante el mar,
los amarillos libros
de las premoniciones,
los árboles de pino funerario,
las leyendas en deuda con el tiempo,
ciudades estatuarias
que cubrían los navíos
de catedrales múltiples y dones.
Libros de luz sellada,
botellas que escondían
pétalos incendiados,
y el camino que siempre
da una llama a la historia,
un paisaje de sed y una distancia.

40

Ríos ellos. También ríos sus ojos.
Sus manos como ríos.
Caudalosos los sueños.
Río remoto el azar en su mirada.

III

LA DISTANCIA IMPASIBLE

«... por manera que escribió por dos cami-
nos aquel viaje, el menor fue el fingido, y el
mayor el verdadero.»

(martes, 25 de septiembre)
Diario de Colón
Fray Bartolomé de Las Casas

En el mar la distancia
es una incitación
de tierras esfumadas,
como un mundo visible
sólo cuando en los ojos
brilla su inexistencia.

Se sabe que hay un rumbo,
como se sabe un nombre ya destruido,
que impera impronunciable.
Un norte hecho de flechas
e invisibilidades.
Como si se confiara en lo posible
sólo cuando se vuelve transparente.

43

Atrás quedan las formas
de la tierra constante:
su espesor habitado
de rocas defendidas
por espejos nocturnos,
y el árbol que señala
plenitudes y cae.

Se cambia la certeza por la luna,
la tierra toda
por la fosforescencia de la noche.

Y el mar crece día a día,
en extensión y en fuego,
su batalla estremece los ojos, los convierte
en nuevas lejanías.
Crece con la constancia
de una constelación inacabable.
Luego desaparece.

Y la nave se mueve en el vacío,
sostenida tan sólo
por el rumor del mar exterminado.
Como una flecha de madera ciega,
presa en la alta burbuja
de la destruida noche,
donde la húmeda luz
de la estrella termina.

44

FIGURAS SOBRE EL ABISMO

canto cuarto

I

EL CAPITAN DEL ANSIA

«El Almirante era hombre de buena estatu-
ra y aspecto más alto que mediano y de re-
cios miembros, los ojos vivos y las otras
partes del rostro de buena proporción, el
cabello muy bermejo y la cara algo encen-
dida y pecosa...; gracioso cuando quería;
iracundo cuando se enojaba.»

Gonzalo Fernández de Oviedo

El capitán del ansia.
El que entendía
la pasión marinera
de las constelaciones.
Quien a la incertidumbre
dio silueta de nave,
y a las leyendas convirtió en vigía.
El que conjugó mapas
de ceniza invisible,
con los mapas del tiempo.

47

El que administraba la transparencia
con sus manos de lluvia,
y daba a la derrota del navío
velocidad de sueño,
profundidad de vértigo,
seguridad de número.

Llegó a la inmensidad,
pero ya ella
navegaba adelante,
dejando atrás su oscura estela
de navíos quemados,
y algas que los borraban
como fatalidades.

Llegó a la inmensidad
donde flotaban sólo
los espejos del tiempo,
y la única certeza
eran signos ahogados
allende su mirada.

Pero siguió a sus ojos,
y a las señales pálidas del ansia,
al vertical ahogo del crepúsculo.
Desoyó las sirenas
que encendían la niebla,
la música terrestre
detrás de los velámenes,
la vastedad plenaria
del temor sobre el hombre.

Y equivocó los números,
falsificó los panes,

*quemó heredados mapas
dentro de su palabra,
ignoró meridianos
de oscuridad, naufragios,
límites afilados
estallando en la proa.*

*Tocó el tiempo. Dormía
como un niño en el aire,
esperando su mano
de capitan del ansia,
que lo guiaba al soñarlo.*

II

EL UNICO HORIZONTE

«... conoció que no iba ajustada a la estrella
polar, sino a otro punto invisible y fijo.
...observó que la aguja noruesteaba ya con
la cuarta, y por la mañana volvía a herir en
la misma estrella.»

Historia del Almirante de las Indias,
Don Cristóbal Colón. (1529)
Fernando Colón

Como todos los rumbos
asumidos a un tiempo,
como todas las flechas
ya siempre imaginadas.

Como todo el deseo
de todos los caminos,
las puertas que de un golpe,
de un múltiple sonido,
sucediéndose
se abren hacia el mar.
Como todos los ojos
dirigidos de pronto,
por una voluntad
de estrellas interiores,
sobre la alta ventana de la tarde,
que desaparece, aún entreabierta,
sobre el rápido mar.

Como si de los pasos
surgiera un bosque en marcha,
una sentencia de fugacidades,
una dirección pálida
de ardidos campanarios,
pisadas que dirigen
su pasión contra un muro,
huellas que se habituaron
a las fugas del aire,
y se lanzan, reunidas
en diminutas proas
náufragas, sobre el mar.

Como si cada dedo
que señaló, hubiese abandonado
una pequeña brújula de sangre,
y ese rumor de chispas enfiladas,
sumáranse y volaran
en pajareros vértices,
sobre el aire del mar.

Como hacia un remolino
al que las lejanías se dirigen.
Donde las rocas abren
ojos de óxido puro,
que se hundirán llevándose
los ácidos velámenes
de escarcha de la noche.

Adonde apunta el sol
su rumbo o testimonio,
como una lanza diáfana
que señala hacia el mar.

Y por un vago instante,
multiplicado, unísono
de cotidianos tránsitos,
hombres, casas y torres,
caballos y luciérnagas,
agonías, íntimos nacimientos,
vuelven su rostro, frentes
donde el silencio imaginado alumbra,
hacia el rumbo que llega
presentido del mar.

III

LA CANCION DE LA QUILLA

*«... y en esa noche, al principio de ella, vie-
ron caer del cielo un maravilloso ramo de
fuego en la mar, lejos de ellos cuatro o cinco
leguas.»*

(sábado, 15 de setiembre)
Diario de Colón
Fray Bartolomé de Las Casas

*En la quilla la noche se transforma
sólo en velocidad. Y surge de ella
un paisaje de cielos desprendidos.
Algo que pudo ser, algo que impera
como una llama sobre el agua rápida,
o un bosque entre los ojos
que se sabe imposible.*

*La luz no es suficiente
ni su deseo de iluminaciones,
que ella no puede dar a lo invisible
oscuridad y término: figura.*

*En la quilla el paisaje se convierte,
entre los pumas pálidos del viento,
sólo en velocidad. En lo que siempre
desde la tierra o de su muerte, parte.*

55

En lo que encuentran
los ojos y la llama
cuando se acercan y se funden,
cuando ya no hay espacio,
ya no hay tiempo o palabra
entre el mundo y el hombre, porque ambos
en la mirada, como pajas, arden.

Es un vértice rápido
de sales traspasadas,
de aéreos horizontes reunidos,
de puertas entreabiertas
a lo aún no esperado,
el que en torno a la quilla
y a sus ángulos altos que son ojos,
alrededor de su humedad volante,
va inventando un paraje inesperado:
algo que pueda arder contra el olvido,
como el cristal que créase en la llama
y que aún brilla, después
del esplendor fugaz y su ceniza.
Un paisaje de ecos
que se hunden o emergen
y se abren y definen,
como un inexistente
espejo que pasase
borrando el mundo unísono.

Ahí deseosa es la niebla,
y la brújula gira confundida
hasta hacerse invisible,
los pájaros son un difuso instinto
de alas y derivas en la noche,
y el timón, todo azul, desaparece.

56

Es nuevo el mar,
como si nunca antes
el hombre lo mirara.
Es otro el cielo,
sin un solo espejismo:
borradas las gaviotas y la muerte.

Todo ha quedado atrás,
sólo la quilla rige
y apunta desnudeces.
El resto del navío
naufragó ya en el tiempo.
Sólo la quilla sola,
sobreviviente faro de inquietud,
nimbada por la velocidad:
ya pronto a otro paisaje
y luego a otro,
constante y sucesivo,
hacia el mundo lejano
que tras el mundo esfúmase.

PLENITUD DE SOLEDAD

canto quinto

I

ES LA NOCHE DEL MAR

*«Ochenta y ocho días habrá que no me
había dejado espantable tormenta, a tanto
que no vide el sol ni estrellas por mar, que a
los navíos tenía yo abiertos, a las velas rotas
y perdidas anclas y jarcias... La gente
estaba tan molida que deseaba la muerte
para salir de tantos martirios.»*

Cristóbal Colón
IV Viaje

*La noche es mineral,
y todo adquiere en ella
un gesto de metales humillados.
Los cuerpos como rocas fosforecen
idénticos al fondo de la muerte.*

*El mar excita óxidos terrestres,
puñados de cenizas estatuarias,
losas que surgen un instante sólo,
mientras brillan sobre ellas, vanamente,
los deseos del naufragio y del relámpago.*

61

Nada puede volar. Todo se hunde.
El ojo acepta su final imperio
y cede como un pájaro sin alas.

Es la noche del mar.
La húmeda noche
rodeada de islas invisibles,
mientras en los navíos
alguien inventa historias
que corren por la tierra y la palabra.

La noche no amenaza,
sólo extingue lunas entre los ojos,
sólo otorga intensidad mortal a la distancia.
Y quema los navíos en su premonición,
los entrelaza
al delgado destello de la estrella impasible.

La noche es mineral. Plata sellada.
Columnaria es su sombra,
omnipotente casi.

Su límite es el hombre
en sus naves bogándola,
hinchando velas con oscuridad,
con el ansia poblada de fantasmas,
tactando la ceniza más distante
cruza los laberintos
de lluvia del azar.

El sabe que no gana. Que se muere
con la flecha en las manos, porque apunta
adonde siempre hay mar.

Pero es su dirección de ángel terrestre,
su ojo de llama donde empieza el cuerpo,
su afición a los mapas invisibles
y a las fugacidades
de la rosa insalvable,
su complicidad viva con la muerte,
quienes le han dado la capitanía
de la desolación,
sobre una nave de madera y tiempo,
entre la noche oceánica
de metal y de sombra para siempre,
hacia una sola dirección: el ansia.

II

LA TURBIA SOLEDAD

> *«... viéndose tan lejos de todo socorro y en navegación tan larga y peligrosa, y como nunca veían sino agua y cielo... ...como los que estaban más lejos de tierra que hasta entonces ninguna persona había estado.»*
>
> Historia del Almirante de las Indias,
> Don Cristóbal Colón. (1529)
> Fernando Colón

Se fueron haciendo pequeños,
casi insalvables,
como una voz y su lejanía
cuando caen al vacío,
y nadie sabrá nunca
en qué grieta,
en qué rosa de abismo
reciben su silencio.

Se llenaron de niebla,
como esas leyendas o comarcas
que al final se convierten
en sólo lluvia rápida
y turbia soledad.

Se mezclaron del todo
con el azar
con una intensidad desconocida.

65

Se sabe que viraron conjuntando
la inmune hondura del timón
con la frágil albura de la vela,
alrededor de laberintos
de coral inventado,
en un humano ardid
para rodear la muerte.

Fueron casi olvidados,
y en sus casas,
y en sus utensilios cotidianos
de antigua claridad,
creció el orín falaz
de los presentimientos,
con su color de niebla, flor o muerte,
según la incertidumbre o el amor.

Se fueron transfigurando
como todo en la oscuridad,
merced a las pasiones del olvido
por aumentar su reino en la memoria.

Adquirieron el incierto esplendor
de los dioses ausentes, cuando asumen
la móvil lejanía del relámpago,
y se refugian tras su magia errática.

Fueron vistos de noche
regresando a sus casas,
pero los que miraron a sus ojos
sólo hallaron un cielo de alto acero,
e incierto y nuevo el mar.

Intercambiaron entre ellos
testimonios falaces,
como esas espadas dormidas
que al desenterrarlas
son sólo un óxido agotado,
un musgo incierto
que se deshace entre la noble luz.

Cumplieron el destino
con la ceguera y la deriva propias
de quien asume su mortalidad.

Permitieron la lluvia
y los bosques que en vano proclamaba,
los frágiles estragos de la escarcha,
alguna flor de ínfimo cristal
como un emigrado mediodía,
un libro en blanco
que cerró la niebla,
y visitas nocturnas
que entraban y yacían en la inquieta
casa de sus pupilas.

Alcanzaron la invisibilidad,
como una tierra, como un don,
como un secreto último
que se arrebata al aire.

Se fueron alejando
los unos de los otros,
como si cada uno
siguiera un rumbo diferente
sobre su propio abismo.

67

Largamente acosados
por una errante luminosidad
sin pájaros ni tiempo,
cruzaron una a una
las puertas inventadas del azar
que el sol abría y cerraba
al límite del alba.

III

LAS PREGUNTAS TERRESTRES

«... de allí fueron al sudeste, hasta conocer
que lo que decían que había sido tierra no
lo era, sino cielo.»

Diario de Colón
Fray Bartolomé de Las Casas
(miércoles, 26 de septiembre)

¿En dónde está la arcilla,
arquitecta del árbol,
premonición del humus,
saliva de los pájaros,
luminiscencia cierta,
habitación del germen?

¿Dónde los valles crean
más leve la mañana,
y la delgada bruma
de la tarde se echa
como un perro con alas
junto a la puerta diáfana?

¿En dónde alza la roca
su inconclusa tormenta,

69

arista leal, soporte
del muro y del invierno,
fruta de las estepas,
acoso de las lluvias,
trinchera del silencio,
viraje de la flecha,
ángulo de la muerte?

¿Dónde la flor señala
el origen del mundo:
color, aroma y sombra
reunidos en lo incierto
de su magia invisible?

¿Dónde el desierto inventa
su acero y su silencio?

¿En dónde el árbol crece,
suma de luz y tiempo,
vertical de la niebla,
reverencia del rayo,
estrella del insecto,
copa de lontananzas,
euforia de la yedra,
hospedaje del aire?

¿Dónde el río reúne
el ayer y el pez mudo,
el cadáver y el árbol,
y los convierte en flechas
deseosas de mar?

¿En dónde el lago extiende
sus mapas indefensos?
¿Dónde la nieve que restaña el alba?
¿La espina con su estrella alternativa,
el oro junto al río
como un dios admirándose?

¿Dónde la reunida,
la concreta en la luz,
la golpeada por sombras,
la pisada por bestias
o nimbada por ángeles
de niebla velocísima,
la exacta como un trono,
crucial como una tumba,
lanzada como un ala?
¿En dónde la unitaria,
aromosa, extendida,
sedimentada, honda
tierra final? Ah tierra
en donde yace el mar.

UN VASTO RUMOR LLENA LOS AMBITOS

canto sexto

I

EL PAJARO AUGURAL

«... toda la noche oyeron pasar pájaros...»

Diario de Colón
Fray Bartolomé de Las Casas
(martes, 9 de octubre)

Sólo faltaba él, que fue creado
por las manos de niebla
de la velocidad.

El, que participaba con el alba
en sucesos de nieve transitoria,
su leve flecha que se incendia y deja
de ser parte del mundo en el crepúsculo.
A quien no ciega el tiempo, ni la muerte,
porque el aire lo crea interminable.

Faltaba su ligera arquitectura
de ser vaticinado, su afición
a las rosas transparentes
que los ríos del aire despedazan
a su alrededor cada mañana.

Y el capitán y su canción de mando,
y el leal y el traidor y el sometido:
aquella alta y plural marinería
buscaba desde el ansia su hermosura
que podía alejarlos de la muerte.

Si él llegara, en sus ojos
les traería la certeza de un mundo,
que de todas las cosas y los seres,
sólo lo escoge a él
para anunciar, como un suceso azul,
su pronta geografía.

Faltaba en todo el aire, que sin él
era un rumbo vacío,
faltaba en la mirada
que sin él no existía.
Faltaba en el sonido, en el silencio,
porque sin él los dos
eran tan sólo máscaras del día.

El, que sometería el espejismo,
que acercaba hasta el rayo,
sin motivo, sus alas alborales,
que aguardaba dormido en la neblina,
levemente inclinado
como un presagio
que esconde su secreto
fugaz en la deriva.

El, que a las cosas leves
se acercaba más leve aún y diáfano,
y que sumíase en la alta vaguedad
que en la estrella termina.

76

El, que siempre pasaba
desde una llama a otra, reuniendo
todas las llamas de la luz en una.

El, el más incendiado,
el más hecho de espigas y de espumas,
porque ya es sólo azar.
Tan breve y sucedido
como la flor al borde de la flor;
que le da al aire
su sangre transparente,
ángulo al día,
y un don terrestre
es en la inmensidad.

El, el pájaro augural, que enciende y oscurece,
naufragando quizá,
las llamas de sus alas sobre el mar.

II

LLEVABAN LA PALABRA

«Y al día siguiente fueron a la Gomera
(Canarias) donde estuvo cuatro días
proveyéndose de bastimientos ...»

Historia del Almirante de las Indias,
Don Cristóbal Colón. (1529)
Fernando Colón

Llevaban el metal
y su denso relámpago,
la vid, en donde crea
sus rubíes el tiempo,
utensilios de arcilla cristalina
con forma de distancia
vitrales y poleas,
mecánicas de invierno.

En cada cosa suya,
por pequeña o por llama,
iba un dios, un dios mínimo,
una razón o un mundo.

Que todo lo llevaban
entre olvido y palabra;
ahí, en esa zona
de lo diáfano y diario,
entre esa mansedumbre
de tactos apagados
que es la mano en el tiempo.

79

Las ciudades crecían,
ya en su piel, ya en sus ojos,
una aquí y otra allá:
cada una en su alba.
Los bosques olorosos
de cedros estatuarios,
se extendían por cubierta
como un credo de savias invisibles.

Llevaban el metal
para otorgar la muerte.
Sabían administrar
la esperanza o el miedo,
con la espada precisa
o la rosa deseada.
La pólvora dormía
con sus lobos cegados,
las semillas también
en su mínima noche.

Y a su lado los ríos
augurales dejaban
el leve sedimento
del futuro pasando.

Las lianas en los mástiles
tejían otro velamen,
todo de savia única,
todo de umbrías sonoras,
donde el viento marino
golpeaba confundiéndose.

El oro cercenado
sobre el cuello y la noche,
saltaba reflejando
sobre ellos la sangre
que cumpliría mañana.

Llevaban las heridas
listas bajo el milagro,
agonías rodeándose
de flores agotadas,
y cielos incendiarios,
y arrasadas comarcas,
y la ciega tortura
enfilada en las manos.

Hombres, dioses equívocos,
aventureros, ángeles:
un poco de ceniza
humana en su mirada
navegaba, cegándoles.

Pero llevaban algo
más solar que sus cuerpos,
con más ríos que su historia,
con más llamas que el tiempo.
Algo delgado, algo
del todo transparencia.

Una fórmula leve
para llevar el hecho
hasta su maravilla.

Una convocatoria diaria,
móvil, desleal o leal,
según el nombre,
la oscuridad, la muerte,
o el día o el deseo,
donde quede temblando.

Una gacela, un mármol
donde salta labrada
sobre su propia muerte.
Una ahogada manera
de aspirar la memoria,
a lapsos unitarios,
a momentáneos ríos,
hasta vaticinarla.

Que llevaban la tenue soledad
de decir «hoy», «mañana»,
«tierra», «destino», «fuego».
Y así llevar un mundo
acaso en la palabra.
Llevaban la palabra.

III

VESTIGIOS DE LO INCIERTO

«... *puesto que el Almirante, a las diez de la noche, estando en el castillo de Popa vido lumbre, aunque fue cosa tan cerrada que no quiso afirmar que fuese tierra... Después que el Almirante lo dijo, se vido una vez o dos, y era como una candelilla de cera que se alzaba y levantaba...»*

(jueves, 11 de octubre)
Diario de Colón
Fray Bartolomé de Las Casas

*Como el preanuncio vago de la aurora
sobre las cosas de la medianoche,
o ese sonido de ángeles creándose,
monótono y total,
que se oye en las estancias
del mar, cerca del alba.
Cuando el silencio nímbase de dicha,
inmotivada, diáfana, imposible.
Y no es posible comprender
por qué aparecen rosas sobre el tacto,
cúpulas en la cima de los ojos,
y una alegría infantil cerca la pena
de paraísos rápidos.*

83

Como ese albor punzante
de fruta que en la yema
anuncia azar y mundos,
o ese humor augural,
profundo y aromoso,
que antes del nacimiento
sube desde la madre y desde el alba.

Como el jaspe violáceo, indescifrable,
que hacia otro instante zumba y aparece
sobre el ala hialina del insecto.

Cuando las cosas son
profecías o luciérnagas,
porque desde ellas surge
un viento paulatino iluminándose,
una levísima alma de salvada ceniza,
el regreso del nombre
que el azar escondió
bajo su claro escombro.
Y no es posible definir el límite
del aire con los cuerpos,
del agua con el aire,
del día con la muerte.
Cuando el número es
una magia total
de pétalo o de sangre,
y su precisión vuelve
a la móvil deriva originaria
donde fue creado el mundo.

Como esas claridades alborales
que antes de verse dejan
oir el espejismo
de su violín en llamas,

84

y entre la hierba
alzan las lagartijas
sus párpados delgados
de gelatina y sombra,
y las aves presienten,
en la noche del árbol,
el estremecimiento
de su pluma afilada.

Como esos relámpagos
húmedos de distancia
que transfiguran todo
un instante de llamas,
y los rostros encienden
su encadenada luna,
y los ojos son luces dominadas,
y el trueno lejanísimo
lanza sobre el deseo
sus sombrías palabras.

Como vestigios lentos
que vuelven desde el sueño desdeñados,
llegaban a las naves
ramazones y troncos
podridos en otra alba.
Pájaros inauditos
de confundida ciencia,
olores de resinas
terrestres y agresivas,
aromas de lo incierto
sometidos al ansia.

La flecha de la quilla
inclinaba su sabia
parábola, agotándola.

85

Las velas, por sí solas,
plegaban su blancura,
como un ala que sabe
que ha cumplido y que pasa.

La madera sentía
bosques vaticinados,
las semillas volvieron
a temblar como dones,
la pólvora afilaba
sus garras opalinas,
la palabra, ella sola,
ya reunía los mundos.

Sólo el hombre temía
en los navíos del ansia.
Sólo él iba y volvía de la sombra,
apagando, encendiendo
la frágil e invencible
duda de su mirada.

DON DE LA MATERIA

canto séptimo

I

CUMPLIDO EL TIEMPO

«*A las dos horas después de medianoche,
apareció la tierra, de la cual estarían dos
leguas. ...temporizando hasta el día viernes...*»

Diario de Colón
Fray Bartolomé de Las Casas
(viernes, 12 de octubre)

*Entre ellos y la tierra
faltaba sólo el alba.
Un leve trecho. Esa
intensidad de estrago
que da a la soledad
la noche en la distancia.
Esa situación última
de quedar a la orilla del prodigio
ciego, inmóvil, sin alba.
Esperando que cumpla
su espejismo la estrella,
que el mar adquiera el ámbar
creciente de la aurora.
Que las cosas conformen
a la luz sus silencios.*

La sombra siempre es lenta,
como un tren que no cesa de pasar:
negro el vagón primero,
el segundo tiniebla,
el siguiente es espuma
de oscuridad,
y el otro alta ceniza,
y al que le sigue surgen
ríos quemados de sus rotas ventanas,
y aquel que sólo es niebla,
y más allá el de bruma condenada
en el viaje circular de la muerte.
Y el último no acaba de llegar:
el que traerá en sus ruedas
una débil, girante
fosforescencia de alba.

Aún más lenta que el lento
lluvioso lecho de la piedra,
es la última sombra,
la liminar y ahogante,
la que ya no es azar,
ni destino, ni muerte,
sólo pared de óxido,
incitación de abismo,
amurallado norte.

Cumplido el tiempo
sólo faltaba su deseo,
ese mínimo abismo
que ante el amanecer
aún lo torna invisible.

90

Las fogatas, las estrellas del hombre
y de su vieja niebla,
brillaban en la playa
adivinando el ansia.
Que el último silencio
es más ancho y sonoro que el mar.

Luego un silbo lejano,
quizá el viento golpeando
multitudes de ángeles,
un sonido de unísonos
metales afinándose,
como cristales que se deshicieran,
como flechas brumosas
que se esfuman en lo alto,
como si el mar se fuera
vaciando entre la música.
Allá un rayo de malvas.
Cenizas luminarias.
Azul fue, blanco era.
Verde y puntual diamante:
toda solar, el alba.

II

EL ALBA ES UN NAVIO

«... Llegaron a una isleta de los Lucayos,
que se llamaba en lengua de indios
Guanahaní. Luego vinieron gente desnuda
y el Almirante salió a tierra en la barca...»

Diario de Colón
Fray Bartolomé de Las Casas
(viernes, 12 de octubre)

El alba es un navío,
inmune, sin fracaso, quizá un dios.
Se acerca desde un mundo no mirado,
sitio del aire, vela de la escarcha.
Ella que hizo de estrella
en lo invisible,
fue mínimo dulzor bajo las olas negras,
hoy es un reino, no una luz
porque aún más alta es su intensidad.

Los hombres no arribaron en sus naves:
llegaron en el alba.
Dejaron sus navíos de madera dormida,
sus aperos curtidos
por voraces ausencias.
Y subieron, cegados,
al navío diamantino del alba.

93

Cada uno a su asombro
sobre el navío del alba:
la proa era la luz
indecible del tiempo,
la popa era un olvido
donde aún mordía la noche,
la cubierta una malva
claridad sin astillas,
la vela, el cielo intacto,
la quilla era una estrella
que tardía, aún volaba,
y el timón, un relámpago,
y las jarcias, temblantes
hilos de lo invisible.

Era el navío del alba,
y unos hombres de arcilla deslumbrada
sobre ella bogando.

III

LOS MUNDOS QUE SE JUNTAN

> «Venían a las barcas de los navíos donde
> estábamos, nadando, y nos traían
> papagayos y hilo de algodón en ovillos y
> azagayas y otras cosas muchas y nos las
> trocaban por otras cosas que nos les
> dábamos...»
>
> Cristóbal Colón
> (viernes, 12 de octubre)

Los mundos que se juntan
hasta entonces son alba.
Fueron ceniza agreste,
fueron su profecía.

Devienen del azar,
y en él crearon el viento,
el volcán y sus criptas
de rubí clausurado,
la medida escarlata de la sangre,
la mano que separa
la niebla del asombro,
en exactos estragos
para el tiempo o la muerte.

95

Bajo los mundos hay
estrellas desterradas.
Ellas rigen pluviales latitudes,
definen las fronteras inclementes
del mar ante la rosa,
y acercan los prodigiosos vasos de la savia
a la sed escondida del insecto.
Estrellas como dones
que disponen el vuelo innúmero del aire.
Piedras mitad milagro, mitad sentencia,
solas bajo espejos, mareas
y destierros de escarcha.

Las cosas son un río:
el espejismo que las determina.
Los ojos de los pájaros
son mínimos naufragios.
Los árboles separan
sus raíces del tiempo.
Las montañas se inclinan
en el mágico aire.
Todo se esfuma unido
a un azul movimiento:
cruzan peces y aves
reunidos y diáfanos,
animales delgados
de azorados destinos,
semillas distribuídas
por la dicha del fuego,
palabras enlazadas por la velocidad
girante del silencio.

Que los mundos se juntan,
se hieren, se confunden,
mortales como el hombre.

96

Y un instante después:
la playa alucinada,
y el pie, sobre la playa,
del hombre frente al hombre.
El extraño y sus trajes
de luctuosas distancias.

El trueque de los sueños
mínimos de la sangre.
La pólvora y las flechas
avistando la muerte.
El amor que en el cuerpo
crea fosforescencias.
Y el asombro del aire
como una lengua única.

Y el navío del alba
hundiéndose en el mar
como una lenta,
abandonada llama.

LA SOMBRA ACUMULADA

canto octavo

I

QUE SURGIERON DEL JADE

«Aquí sólo llegamos a reunirnos.
Sólo somos viandantes en la tierra.
Pasemos la vida en paz y placer:
venid y regocijémonos.
Pero no los que viven en la cólera:
que la tierra es muy extensa.»

Poesía Náhuatl

Que llegaron del norte
como la escarcha rápida,
o surgieron del jade
donde el día es una brasa.
Ojos para la niebla
que en la piedra grabaron
esa zona de silencio pluvial
que no es del hombre.

Tenían pactos de fuego con las cosas,
por ello adoraban las cosas
en su inmediata llama.

No creyeron en dioses hechos de lejanías,
sino en los utensilios del dolor o el prodigio.

Ebrios de luna, crearon
en su noche otras lunas,
y grabaron los astros
en estelas de piedra
hasta que el tacto diese
testimonio del cielo.

A través de comarcas
que como espejos vuelan,
de bosques que la niebla
decide o estremece,
se hicieron como ríos
sus cuerpos y sus manos,
sus dones y sus ansias.

Y adquirieron deseos sobrehumanos,
deseos que hasta entonces
sólo la noche tuvo,
ambiciones que sólo
conocían la piedra,
el puma o el relámpago,
la ceniza o el ángel.

Siempre su piel fue el árbol.
Su identidad de mundo
fue el mundo mismo.
No podían distinguir
entre el brazo y el pájaro,
entre el fuego y la estrella,
entre el caimán y el río,
entre Dios y sus nombres.

Todo era un ojo único.
Todo era un viento unísono

Una sola y creada transparencia
que ardía o se apagaba
según el infortunio
o lo breve del canto.

Que llegaron de un mar
perdido en el principio,
o emergieron del fondo
de cuevas anegadas
de luminosa sangre.

La memoria es baldía.
Es un reino el silencio,
y desde él ascendieron
para construir la llama
de sus cuerpos sonoros,
y los cuerpos del tigre,
del caimán y del águila,
de la serpiente urdida,
del quetzal y su instante
de esmeralda volada,
y el cuerpo diminuto
de la rana en el oro.

Que llegaron de la luz anhelante
que sobre el limo crece.
O que fueron construidos
con el maíz amargo, claro y dulce,
que los dioses tuvieron
que masticar al crearlos.
O ellos eran los dioses mismos
que intentaron ser dioses
aún después del milagro.

II

EN LA VOZ DE CIBOLA

«El sol, la luna, el día, la noche,
océano y universo,
obedientes se encaminan a la muerte.
Cualquiera que ella sea
llegan al término
que tu centro señala.»

Poesía Quechua

Fui frágil como el ámbar
al lado de la sangre.
Hubo un ángel en mí
para cada palabra.
Acaso fue la niebla
mi rumbo inevitable,
y la delgada sed de la llanura
me cubrió de velámenes inciertos.
La flor engalanada
de los amaneceres
fui yo. Que no ha nacido
otro espejo más diáfano
que mi sombra en el agua
votiva de la fiesta.

Reina de mis augurios.
Vecina de las lunas
que desaparecieron.
Mis cúpulas crecían
como deseos mágicos,
con el color fatal
de los advenimientos.

105

Mis hombres fueron únicos
como todas mis rosas:
diestros en el prodigio,
el deseo o la espada.

Pero llegó una noche
en que los astros fueron
más veloces aún
que el cielo y que la tierra reunidos.
Cambió el eje invisible
del tiempo entre las cosas,
se llenó la distancia
de pájaros suicidas,
subió el polvo a mis torres
como un credo de muerte.
Mudó de altar el fuego.
Cambió de azul el mundo.
El relámpago fue
un cuchillo en mi boca,
un ancla entre mi nombre,
un espejo homicida
debajo de la llama.
Y subió el mar y el frío
y sus peces voraces
mordieron las más altas
campanas de mis templos.
Los corales clavaron
sus dientes ambarinos
en el cristal y el viento.
Las medusas lanzaron
su corrosiva sangre
sobre frisos, estatuas,
inscripciones y nombres.

Mis dioses me dejaron
convirtiéndose en manchas
de musgo imaginario
sobre sus pedestales.

Que yo fui mi luz última.
Plaza fortificada para la flor y el ala.
Dócil a las estrellas,
por milenios las tuve
en mis ojos al alba.
Elegida del sol y sus blancas memorias,
rodeada por el mar y sus cúpulas rápidas,
abrí en el sueño pórticos
y arcos de plata diáfana.
Perduré lo que el tiempo
conocido aún no alcanza.

Soy la ciudad que reina
en el ardiente olvido,
la que hizo posible
las diásporas dolientes
del hombre por el ansia.

Y ahora todo es mar
en mis ojos de mármol,
y ciegos peces que alzan
a la luz la ceniza
falaz de mi leyenda.

107

III

SUS NAVES INVISIBLES

«Por segunda vez no venimos a la tierra,
príncipes chichimecas,
¡gocemos!
¿Llevamos nuestras flores a la muerte?
Solamente prestadas las tenemos.
Es verdad que nos vamos.
Muy cierto es, en verdad, que nos vamos:
dejamos las flores, y los cantos y la tierra,
nos vamos!»

Poesía Náhuatl

El tiempo es un navío
también, que navega guiado
por fantasmas y dones,
sobre mares sin cielo
ni cadenas terrestres,
por laberintos como melodías
que al cruzarlos se esfuman.

Su impulso es la primera
piedra lanzada al pájaro,
que regresa a la mano
con la sangre del aire,
la inicial flor que alguien
interpuso, aún es llama,
entre el rostro y la muerte.

109

El tiempo es un navío
que recorre los mapas
creados para los tránsitos
más leves de la escarcha.
Que cruza las ciudades
disfrazado de noche,
diseminando estelas
lunares, como el cristal
que nace y agoniza
en los ojos cerrados.

Ellos también viajaron
en los navíos dolientes
que el tiempo indemne crea
alrededor del hombre,
con los estragos mínimos
que las cosas olvidan.

Ellos fueron los solos capitanes
que bogaron también
hasta la playa aquella,
donde el navío del alba
encallaba y se hundía
entre burbujas diáfanas.
Viajaron hacia el fuego
desnudo de la espada,
hacia el destello de los infortunios,
hacia el advenimiento
de los templos del frío,
como un árbol que asciende
encendido en la bruma,
hasta golpear el viaje
del rayo con sus ramas.

110

Y en los navíos del tiempo
construyeron espléndidas ciudades,
tan sólo con las chispas
que el sol crea sobre el agua
y los ojos reunidos.
En la cubierta rápida
que borraba la luna,
levantaron pirámides
de azules numerarios,
oráculos de musgos
tan finos como el sueño,
turbios ritos de cárdena
arquitectura humana,
y cánticos que alzaban
columnas de ceniza.

Sus naves invisibles
llegaron a la cita con la pólvora,
la semilla y la raza
nueva del sacrificio.

Ellos también llevaron
su alba hasta la playa,
y esperaron cubiertos
por el sudor mortal de los que parten
cuando llegan junto a la profecía,
vestidos con el traje
de niebla de las víctimas.

LAS RAICES DEL TIEMPO

canto noveno

I

EL PODER DE LA SED

*«... en el país del misterio y de la lluvia,
morada de las flores,
donde fuimos creados.»*

Poesía Náhuatl

*Primero decidimos
esperar invisibles
al lado de las cosas
que la lluvia tañía.
Llenábamos los bosques
de flechas transparentes,
en la nieve dejábamos
sólo huellas de nieve.
Que el aire parecíanos
una mar de cenizas,
toda de oleaje y frío,
donde la llama urdida de los pájaros
era sangre y deriva.*

*Veíamos a las fieras
beber las esmeraldas
deseosas del río,
y a las hojas opresas
en la humedad gozosa de la noche,*

115

y a la roca absorbiendo
la lluvia hecha de dichas lejanísimas.
Así subió la sed
a nuestra increada boca transparente:
primero como el ruido
de una ancha levedad desconocida,
después como el rumor
de múltiples cristales extendiéndose,
luego como un sonido
de vasos rebosando
neblinas empapadas y sumisas,
y al final el deseo
de nacer y morir
en la sed prometida.

Nos acercamos a la roca
queriendo convertirla
en estrella o en faro.
Pero éramos delgadas transparencias.

Subimos a los árboles
en busca de las frutas
perfectas e imitadas
por la luna lejana.
Pero éramos de móvil transparencia.
Entramos a las minas
a rescatar el oro,
la plata y la esmeralda
que las sombras ceñían.
Pero éramos del todo transparencia.

Y ambulamos deseando
un mundo y su agonía,
un cuerpo como un reino

con su vello y su noche,
y su ansia y su muerte.

Y así nuestro deseo
de poderes terrestres,
primero nos dio ojos
arrancados del ópalo
que en la noche se hundía,
después un rostro igual
a honda piedra de río,
v un cuerpo de maíz
fermentado en las ánforas
letales de la lluvia.

Y corrimos al río
a beber en el aire
de su fugacidad.
Y elevamos la piedra
a la altura del ansia,
construyendo pirámides,
estragos y ciudades.
Y alcanzamos la fruta:
ceniza ella y ceniza
la mano que la abre.
Y forjamos el oro
y la plata en sumisas
estrellas cotidianas.

Y algunos de nosotros
quedáronse en el borde
de la fiel transparencia,
para ejercer de dioses,
y extendernos sus manos
llameantes de silencio,
al entregar los cuerpos
lunares a su muerte.

117

II

CIENCIA DEL AIRE

*«Se alternaban para ver la gran estrella,
llamada estrella de la mañana, que es la
primera en salir delante del sol, al nacer el
astro del día; la estrella brillante de la
mañana, que estaba siempre allá, del lado
a donde iban sus miradas...»*

El Popol Vuh
(Manuscrito de Chichicastenango)

*Dieron forma precisa
al número y la estrella
que le correspondía.
Grabaron a la luz
en la piedra, rodeándola
de frisos infinitos.
Su deseo fue crear
en la tierra otra tierra
idéntica a la noche constelada:
y para ello dieron al camino
el equilibrio móvil de la luna,
y un rumoroso cauce de planetas
al agua innumerable y su distancia.*

119

Rodearon el aire
con la policromía
dormida de la arcilla.
Confundieron el fuego con los astros,
y por ello forjaron
astros con la mirada.
En las zonas más hondas de la niebla
apartaron la noche
para asentar el día,
y rodearon con templos al relámpago,
y con estigmas de oro
afianzaron sus muros y sus dioses.

¿Acaso no supieron
por los espejos turbios de la plata,
que el día estaba hecho
de números y velas,
y que había una sombra
bajo el cuerpo del hombre
en donde la memoria al destruirse
creaba los paraísos?

Ellos edificaron sus ciudades
como homenaje al aire:
calzadas para el rumbo de la luna,
acueductos por donde
dirigían la niebla,
casas en que tuvieron
a la aurora apresada.
Fue suyo el aire,
el más alto y vertido,
el que se engalanaba
de consteladas auras.

120

Por eso en sus banderas,
en sus petos, sus templos,
dibujaron los pájaros
o el sol, intercambiables.

Por eso del metal
no ansiaban la dureza,
sino los esplendores
que sobre él hacía el aire.

Su pacto con la nube
fue crearla en la llama.
Su unión con la distancia
fue adorarla en el pájaro.
Su acuerdo con el tiempo y con el cielo
fue unirlos en la piedra
hasta que deslumbraran como dioses.

Para morir, se hacían,
gesto a gesto, invisibles.
Sin prisa, sin motivo, ni ocaso.
Como quien se devuelve
al aire como aire.
Hasta que al fin tan sólo
sus ojos persistían
cerca de sus memorias,
cada vez más fugaces
como espejos sin luna,
hasta fundirse, altos,
en la ciencia del aire.

121

III

FUNDACION DE LA PIEDRA

*«Todo se convirtió en piedra en todas
partes.
... y muchos construyeron allí sus casas, y
allí también construyeron la casa del dios,
en el centro de la parte más alta de la
ciudad.»*

El Popol Vuh
(Manuscrito de Chichicastenango)

*Inmóvil sí, pero creando rumbos,
es la piedra que vuelve a lo invisible,
en los mapas que cesan del olvido.*

*El más lento, el más hondo
entre todos los árboles,
su sombra, abre ciudades
en sus negras ramas,
tumbas en sus raíces que no mueren,
y rostros inconclusos
de ídolos que luchan en la niebla
de la corteza de su luz sellada.*

*Fue arrancada con ansia
de su matriz de arcilla,
que en ella convertíase
en oscuro cristal endurecido.*

123

Fue acumulada, alzada, edificada,
a ambos lados del cuerpo,
cuna, tumba o estatua,
por la prisa del mundo
y sus mañanas.

Como aura o espina
coronando los héroes
que salva de la muerte.
Tal límite o gemido
de la plural vehemencia
de la tierra insumisa.

Piedra de río:
badajo serenísimo
golpeando bajo el musgo
campanas invisibles.
Piedra de fuego,
que rodea de cristal
la base de la flama.
Piedra de las cavernas,
donde la oscuridad crea y destruye
casas deshabitadas.
Piedra de mar,
ya mar al fin
que basta y maravilla.

Tú fuiste un mundo
que cedió a otra llama.
Te volviste navío sin retorno.
Movimientos lunares te llevaron
hacia el deseoso mar.

Los templos donde ardiste
bajo el halo protervo de la sangre,
el jade, en donde siempre cae la lluvia,
el onix, afilado por el frío,
las calzadas de piedra conjugada.
Todo ha cruzado el mar
sin esperas del tiempo,
con lentitud de nave
que al bogar en su estela se destruye,
suspendida del leve
deseo de las estrellas.

Conjunciones de exilios,
desmemorias y naves,
llegaron a la playa
de alba y profecía.

Tú ocupaste tu sitio
como antigua certeza,
tu lugar en el alba conducida:
como espejo o ciudad,
como frío de lanza
o vasija de río,
como friso guardando
números de agonía,
como puente que vuela
un instante al estrago,
como altar o cincel
para el oro del cuerpo,
como máscara última
que los dioses y el hombre
labran para ocultarse
tras su nada o su muerte.

125

LA TIERRA INNUMERABLE

canto décimo

I
POBLACION DEL AZAR

*«Errad, buscad tierras..., enviad
exploradores por delante, hacedlos sembrar
maíz y cuando la cosecha esté a punto, id a
levantarla...»*

Huitzilopochtli
(Divinidad azteca)

*Cubrieron del azar su geografía
de lenguas y de dones.
Que es el hombre plural como su ausencia.
Que es la tierra tan breve para el ansia.*

*Movidos por la fuerza
de la ola invisible de la sed,
como semillas que aventó la aurora,
como chispas que fraguas lejanísimas
lanzan hacia los ojos de la tierra,
cruzaron laberintos
verdes como lo incierto
que permanece de la tarde rápida,
oquedades de polvo sin campanas,
pantanos, cicatrices de la lluvia,
desiertos donde el sol
es un oblicuo enigma
que levanta espejismos
mayores que el paisaje.*

Y fundaron con piedra,
con promesas, con pájaros,
con esa arcilla estática
que surge de la mezcla
de la saliva humana
con la tierra, selladas
en la burbuja de la muerte aún húmeda.

Fundaron su pasión:
que las ciudades surgen
de un grito ante la estrella.
Fundaron su dolor:
que las armas son sólo
los dientes de la muerte.
Y fundaron sus dioses:
que ellos alzan sus reinos
bajo el sueño del hombre.

Y entretejieron cantos
con la urdimbre de mar
que es necesaria
a las salvas palabras.
Y ahuecaron vasijas
rodeando el silencio
con la arcilla policroma del alba.

Levantaron sus casas
con las cañas ceñidas por el aire,
o con la piedra exacta
donde se cumple el ángulo
mineral de la sombra.

Amasaron el mínimo maíz,
dorado por las brasas de la niebla,
hasta que las burbujas
de la ebriedad volaran.

Entregaron sus hijos
al viento, igual que el breve
arbusto su semilla
enlaza al aire pálido.
Y el viento les llevó
a los altos países
donde la nieve baja
ya luz por el relámpago,
y a la llanura en donde
los astros han grabado
su vigilancia clara
en todas las distancias,
y a los más hondos, anchos
e innumerables ríos
que conocen la aurora
y el pie ahogado del hombre,
y a las islas que dan
a la quietud del mar
verticales volcanes.

Llegaron así al límite
azul del frío innombrado,
ellos que desde el frío
traían en la memoria
los silbantes estragos de la escarcha.

Ya poblada la sed,
ya cumplido su azar.
La casa en la palabra,
y el dios en el granito
idéntico a su sombra.
Esperaron mirando
entre el círculo leve del augurio,

131

las remotas siluetas
de naves o desdichas,
que el tiempo figuraba
o apagaba, lanzando
sus dados de silencio impredecible,
que hacia otro azar
sin conocer, giraban.

II

OBREROS DEL AUGURIO

«¿Qué arco iris fúnebre es éste que aparece?
Mortal espada para el Cuzco ha nacido.
Granizada de muerte cae sobre el imperio.
El corazón enorme de Atahualpa se ha
enfriado. Todo el Tahuantisuyo está ahora
sollozando.»

Plegaria Inca

¿Es el destino un mundo
ya completo, desierto insustituible,
que acecha bajo el nombre de las cosas
con sus garras de luna interminable?

¿En su aire los astros y los pájaros
entrecruzan sus ansias, nuevas, rápidas,
inventando otro cielo?

¿Es que al mover la mano
y su tacto deseoso de distancias,
en la inquietud que asume
se está creando otra mano
de transparencia y pánico?

Ellos fueron obreros del augurio.
Por eso edificaron sus ciudades

133

sabiendo que en cada ángulo,
vertiente de la arcilla,
que en cada flor de piedra
que su cincel abría
comenzaba un letal
estallido de bosques y cenizas.

Sus templos fueron vértices
de cielo, muerte y piedra conjugados,
como los infortunios.
Presintieron que en sus mismas palabras
crecían ya otras palabras
de inesperada sangre.

Por eso no llegaron a la muerte
desde el pasado,
sino desde el augurio.
Como quien entra hasta la llama
con los ojos cerrados,
buscando un punto último
en donde la ceniza
aún lo estaba esperando.

Construyeron navíos
pequeños como el cuerpo,
para bogar al filo
sumiso de la espuma,
apenas en la ausencia necesaria
para ir al encuentro
del augurio y sus albas.

Todo lo decidieron
antes de ir al futuro:
el incendio preciso,

134

la batalla inconclusa,
las armas casi arcilla,
las palabras sin aire,
los cánticos borrados
por extraños silencios
que surgirían del mar.
Y los dioses, mortales.

Ellos sabían que el mar
era el destello ahogado
de una lejana espada.
Que llegarían los hombres
de la blanca ceniza,
los capitanes del terror y el ansia,
a sojuzgar la tierra
y sus dones de mármol.

Que es el destino un mundo
donde nace un deseo
por cada día o sueño que quemamos,
donde surge una llama
por cada oscuridad que recibimos,
donde los muros crecen
hasta rodear las noches que olvidamos.

En ese reino a todo
lo envuelve el aura móvil
de los presentimientos.
Sobre ese mar las naves
regresan ya quemadas
como polvo del aire.
Los espejos derivan
a su inicial tiniebla.

135

En los jardines crecen y destellan
las rosas todavía transparentes,
porque su colorido
es milagro de otra alba.
En ese país nadie
puede entrar si no es ya
una total ausencia,
porque ahí las ciudades
nacen del estallido
de las que ahora
impredecibles, creamos.

Ahí los senderos
al terminar se esparcen
y abren otro paisaje,
ahí el día en la tarde
es otra vez fulgor y mediodía,
los pájaros descienden
por las redes del aire,
tejiéndolas de nuevo
con su nueva distancia.
Que ellos fueron los sueños del augurio,
y el destino fue el don
que guardó la ceniza.
Que ellos lucharon con desesperanzas,
escogiendo la muerte
como cualquier otra ansia.
Que ellos cumplieron, que no fue el destino.
El sólo fue una llave
para abrir lentas llamas
guardadas en la sombra.
Que ellos cruzaron, leales como el tiempo,
sobre una muerte y otra,
seguros del azar que los guiaba.

136

III

EN LA ORILLA ENCENDIDA

«... *muy bien hechos, de muy hermosos cuerpos y muy buenas caras... Ellos, todos a una mano, son de buena estatura de grandeza, y buenos gestos...*
... y levantaban las manos al cielo y después a veces nos llamaban que fuésemos a tierra.»

(viernes, 12 de octubre)
Cristóbal Colón

Que fue la aurora la que puso juntas
la gota de rocío y la de sangre
a temblar bajo un bosque de memorias.

Que fue en la playa donde el tiempo tuvo
que desaparecer,
retirar su pavor, su azul desgaste
de cada cosa o nombre,
y convertirse en muerta pedrería
que la ola arrastró
hacia la oscuridad,
borrándola del aire.

Para dejar libre, en las manos
del hombre que llegaba,
puro y nuevo el azar.

137

Del hombre que esperaba
cegado por el palio
del alba deslumbrante
que confirmaba el día y sus distancias.
Que fue la cita en donde cesó el tiempo
para que se cumpliera la alborada:
aztecas coronados
por el rayo o el pájaro.
Y castellanos, cantos del acero,
ojos como murallas que bogaron,
lengua hecha vastedad, acostumbrados
a las manchas sin rostro de la sangre,
que ya seca no es llama,
ya no es sangre, ni es sombra.

Apaches que habitaban
los llanos del relámpago.
Sioux que con los montes
confundían sus sombras.
Araks tras el silencio
que el hielo guarda y salva.
Toltecas que en la piedra
escondieron las huellas
de antiguas lejanías.
Y vascos con la fuerza de lo ignoto
en su niebla y palabras.
Navarros en el vértice
de días innumerables.
Extremeños de dura luz,
como si la ceniza los llamara.
Tlaxaltecas reunidos
bajo los blancos pájaros
que alzaban como armas.

Mayas que se llevaron
sus templos transparentes.
Andaluces que eran
la antigua encrucijada
de sangre sabia y canto
en la memoria mágica.
Canarios que los límites
de lo incierto guardaban.
Chorotegas que fueron
habitantes de ausencias,
en la estrecha cintura de la savia
que ceñian los mares.
Pipiles como errante
arquitectura leve
de la tierra que pasa.
Huetares de ceniza
que cubría sus bosques y sus valles
de minerales pálidos.
Y gallegos que fueron
de la niebla a la niebla,
como el brazo dorado
de los amaneceres.
Incas que edificaron
jaulas para el relámpago,
el cóndor y la nieve,
que la tierra ordenaron
en sumisos espejos,
y dieron una nueva
geografía numeraria
a las más altas rocas
donde enmudece el aire.
Y asturianos de humedad indecisa,
de ondulantes mañanas
donde la fruta es llama de ebriedad.

139

Aragoneses
que entre la arcilla crearon
ríos para la savia jardinera.
Y murcianos rodeando de semillas
su mar encadenado.
Leoneses con la altiva
endecha de sus ojos.
Aymarás habituados
al sicú y su sonora lejanía.
Guaraníes reunidos
en la música ignota de la lengua.
Catalanes exactos
como su sombra.
Caribes incendiarios
armados por la espina de la brisa.
Guanajos de las islas del olvido.
Araucanos guiados
por los ojos del trueno.
Y valencianos de mediterránea
urdimbre, casi mar.
Y chibchas gobernados
por la paz y su fiel sabiduría.
Ya todos reunidos
entre el azar y el mar
de la primera playa,
confundiéndose al fondo
de la muerte o del beso,
heridos, torturados, enlazados,
entre el sonido que creaba el tiempo
al surgir nuevamente de las cosas
y dejarlas temblando
bajo su nacimiento,
rodeados por el anillo inmaterial que el alba,
azul, oro, distancias,
extiende alrededor
de la creación de un mundo.

140

 Se terminó de imprimir
esta obra el día
21 de junio de 1983.